세상의 모든 연인들은 전부 다른 방식으로 사랑을 한다.
비슷할 수는 있어도 같을 순 없다.
그러나 느끼는 감정은 똑같다.

감정들에 관하여.

안녕.

발　행 | 2024년 05월 07일
저　자 | 김채영
펴낸이 | 한건희
펴낸곳 | 주식회사 부크크
출판사등록 | 2014.07.15.(제2014-16호)
주　소 | 서울특별시 금천구 가산디지털1로 119 SK트윈타워 A동 305호
전　화 | 1670-8316
이메일 | info@bookk.co.kr

ISBN | 979-11-410-8443-1

안녕.

김채영 지음

CONTENT

프롤로그

그녀

그녀는 무너졌다.
수많은 자기 설득과 최면의 과정도
잊어보려 잡은 술 약속들도
살아남기 위해 그와의 과거를 향해 날렸던 비난의 살들도
결국 의미가 없다는 것을 증명해준 순간이었다.

그녀는 눈물이 어디서 나오는지 알 것 같았다.
울룩불룩한 곳
시뻘게지는 곳
울컥거리는 곳
뜨겁지만 따뜻하진 않은 곳
그녀는 눈물샘의 위치를 알 수 있었다.
그녀는 심장의 위치를 알 수 있었다.

그녀는 울면서 그의 생각을 했다.
시간은 사람을 무뎌지게 한다더니
반쪽만 진실이었다.

사건은 기억이 안나는데
감정은 기억이 났다.

미워했던 건 기억이 안나는데
좋아했던 건 기억이 났다.

그녀는 그렇게 무너졌다.

그

그는 무너졌다.
드디어 자유로워졌다고 생각했는데
짐을 하나 버렸다고 생각했는데
짐에는 항상 필요한 것들이 들어 있었다.

이별 노래의 가사 하나하나가 심장을 후벼파서
즐겨 듣던 발라드를 플레이리스트에서 전부 지워버린 때
그는 당분간 노래를 듣지 말아야겠다고 생각했다.

남들 다 하는 흔한 이별이었다.
다들 적당히 아파하다가 적당히 괜찮아져선
곧잘 미소를 띠우며 일상을 살았다.
나만 버텨내고 있나
나만 견뎌내고 있나

그는 눈물을 참으면서 그녀의 생각을 했다.
잘해준 건 생각이 안나고
잘못해준 것만 생각이 났다.
그때 같이 여행 갈걸
그거 같이 먹을 걸
네 눈을 반짝거리게 만들던 귀걸이도 사줄걸
그랬으면 지금 눈시울이 덜 붉었을 것 같아서.

사건이 기억나서
감정도 기억났다.

이별

안녕

안녕.

왜 헤어졌어?

글쎄,
그냥.
반한 이유랑 똑같아
그냥.

일상

똑같다
너를 보던 시간에
유튜브를 보고
인스타를 보고
인터넷을 뒤적거리는 것 빼곤
똑같다

원체 재미없는 인생이라 생각했지만
오늘은 더
유독 더
심심하다

흔적

일상에서 한 사람을 도려낸다는 것은
한 시기를 도려낸다는 것과 같으므로
능숙하지 않은 내가
되려 베이지 않을까

덕지덕지 흔적으로 남아있다

사진동영상글
온기목소리향기미소

너

합리화

우린 아름다웠어
녹슬지 않는 조개껍질처럼
깨지지 않는 자전거처럼
순간의 행복이 영원할 것처럼
아름다웠어
그거면 된 거야

모래 위를 맨발로 걷다가 깨진 조개껍질에 발을 베이고
녹슨 자전거를 보며 삐걱거리는 소리를 들을 때가 있겠지
그래도 그거면 된 거야
그거면 된 거야

음악

길을 걸었다
익숙한 노랫말
나도 모르게 흥얼거리다가
위화감이 들었다

반 음씩 낮춰 부르고는
그래도 박자는 맞지 않았냐며
머쓱하게 웃던 웃음소리가
이제는 들려오지 않는다

주저앉기 싫어서 달렸다

희망

네가 잘 지내길 바란다
네가 내 생각을 하며 눈물 흘리기를 바란다
네가 가슴을 부여잡고 내 이름을 부르길 바란다
네가 술을 퍼마시길 바란다
네가 그래서, 내게 연락해보고는 다음 날 후회하길 바란다
네가 누굴 만나도 나를 겹쳐보기를 바란다
그러나 네가 죽을 때까지 나만을 떠올리기는 바라지 않는다
그건 너무
짙고
부담스럽고
무
겁

다
그러니 네가 잘 지내길 바란다

장르

언젠가
우리 연애의 장르는 로맨스라 생각했더랬다

유치하지만 계속 보게 되는
우후죽순으로 나오지만 매번 인기 있는
못해도 중간 정도의 흥행은 해주는
그런 로맨스

잊고 있었다
연극은 막을 내리고
드라마는 잘 꾸며진 씬 뒤의 비하인드가 있으며
영화는 매번 엔딩 크레딧으로
끝을 낸다는 것을.
끝이 있다는 것을.

관객은 미련조차 내버린 채 다른 미디어를 찾아 나서지만
우리는 그럴 수 없다는 것을.

끈

결국 끈
철이면 녹슬고
실이면 닳고
천이면 헐거워지는
그런 끈이었을 뿐

일회용품

디지털 시대의 메모리는
칩 하나 제거하고
클릭 한번 누르면
사라져버리는 간편한 일회용품

우리 기억도 그렇게 버릴 수 있을까
처음으로 보던 네 얼굴
마지막으로 본 네 얼굴
따스한 체온과 약간 차던 손끝
반지를 만지작거리는 버릇

전부 다 한번 쓰고 없애버릴 일회용품인걸까

별똥별

멸망에 비는 소원은
죽을 힘을 다해 이뤄주길 바라는 걸까
존재는 소멸할 때 가장 간절해지니까

사라지는 우리 관계
그 소멸에 비는 소원은 무엇이어야 할까

그런데,
나는 이미 너를 잃어서
너를 잃고 비는 소원에는 바랄 게 없어

칼

은색의 칼날을 길게 늘여서
온몸을 휘감는 기분

차가운 쇠가 온몸에 닿아서
조금이라도 움직이면
조금이라도 떠올리면
금방이라도 베일듯한

칼날처럼
하릴없이 뭉글거리던 네 미소가
겨울에도 유독 뜨겁던 네 손이
내겐 약간 컸던 네 옷가지들이
부드럽던 네가
칼날처럼

추억

끝난다
네가 유독 강조하는 두 글자에 담긴 것은 합리화
곧 사라질 반지를 만지작거리며 꺼내는 너는
이 말을 하면서도 은색 수갑을 어떻게 처리할지 고민하고 있겠지
추억
기억
악몽
차라리 이 중 하나로라도 남았으면 하는 바람이 마음을 간질인다
시간이 주는 풍화의 힘이란 건 대단해서,
바위도 돌멩이로 깎고
산도 언덕으로 만들 수 있으며
송곳같은 분노도 이해로 누그러뜨리고는
이내 아스라이 망각의 영역으로 보내버린다.

티켓

끝난 공연

너무나 좋았던 순간들의 연속체라서
내가 멈출 때 가져갈 수 있는 마지막 기억이었으면.

전부 남겨놓고 싶은 마음에
곱게 뜯어보려다 남은 것은
지워지다 만 잉크
벗겨진 비닐 코팅과 그 밑의 같잖고 까끌까끌한 종잇조각

유통기한이 지난 티켓
끝난 공연

감정

있잖아 나는
너한테 아무 감정이 남지 않을 때가 가장 두려워
당혹감
배신감
부정
분노
미련
체념
그리고

만 남을까 봐.
양수와 음수를 오가던 우리가 결국
제로를 부르짖게 될까 봐.

바다

가까이 다가온 수평선이
해변으로 탈피했다

파도가 소리친다
오가는 흰 거품이
언제 그랬냐는 듯이 사그라들어도
젖어버린 모래는 마르지 않는다

너는 언제부터 그토록 매말라서
이끼 하나 발 디디지 못하는 모래밭이 되어버린거야?

우리는

우리는 뭐가 그렇게 잘났다고
우리는 다를 거라 믿었을까
우리는 어떤 종교를 가졌길래
우리는 영원할 거라 믿었을까
우리의 세상에도 종말이 다가오는데
우리의 세계에도 끝이란 게 존재하는데
우리의 생각에는 왜 그런 게 없었을까

무한해서, 끝없이 뻗어나가서 위대한 게 인간의 마음이라면
우리는
우리는 뭐가 그렇게 잘났다고
그 정도의 상상도 하지 못하면서 감히 영원을 약속했을까

어쩌면 우리가 아니라 나였는지도 몰라

칠흑

간만에 마주하는 눈동자
한때는 보기만 해도 떨렸던 심장이
이제는 멸망을 앞에 둬야 떨리기에
새까만 네 눈에 내 눈물을 쏟아붓지 않도록

어떤 하루

길 가면서 후렴구나 몇 번 들어봤던 대중가요
심장이 떨린다는 첫사랑 이야기
그게 우리 배경음악이었다.
이상했다
목소리의 밀도가 높은 사람이 불러주는 절절한 노래라든가
피아노와 바이올린으로 최대한의 슬픔을 눌러 담은 곡이
고막을 타고 들어와 눈물샘을 꾹꾹 찔러야 하는 거 아니었던가

이따금 구름이 해를 가리려 애썼으나
몰아치는 바람에 서둘러 발을 빼는 날씨
공기가 텁텁하게 막아버린 말의 통로
그게 우리 공간이었다.
이상했다
원래 이럴 때는 비가 세상을 덮어버릴 듯이 내려서
사람의 목소리는 우산 속에서 가장 아름답다는 연구결과를
뒷받침해주던가
속살이 비쳐와서 이미 옷의 기능을 상실한 천을 걸치고
눈물인지 비인지 분간되지 않는 물방울을 흘려대며
새빨개진 눈매를 보여야 하는 거 아니었던가

아
그럼
이건 이별이 아닌가 보다.
네가 지금 하는 말은 이별이 아닌가 봐.

모순

나를 가장 행복하게 만들었던 네가
어떻게 나를 가장 슬프게 만들 수가 있어.

권
태
기

결심

그래
오늘은
오늘은 꼭 말해야지
오늘이 아니면 안될 것 같아
오늘이 지나면 나는 또다시 집에서 후회할 것 같아
오늘이어야만 네게 하고픈 말을 뱉어낼 수 있을 것 같아

최대한 감정 없이
최대한 예의 있게

우리의 첫 만남이 그러했듯이
이별 또한

빗자루로 쓸어내고 남은 먼지 한 줄처럼
아주 최소한의 여지만 남기고
오늘은 꼭 말해야지
오늘은
그래

다툼

사랑하니까 이별하는 게 어딨어
어쩔 수 없이 멀어지는 게 어딨어
그런 거 다 변명이지

그냥 더 이상 안 사랑하는거야
감정에도 이성적인 이유를 붙이던 너는
나를 만나는 시간이 아깝다는 걸 깨달았을 뿐이야

네 말대로 나는 상처를 이겨낼 수 있는 강한 사람이지만
그걸 상처를 준 사람이 말하면 안되는 거잖아
그러면 안되는 거잖아

반론

그럼 너는?
내가 헤어지자고 안 했으면 너는?

여전히 나를 사랑한다고 했을까?
여전히 나를 끌어안고 바라봤을까?
여전히 내게 싱그럽게 웃어줬을까?
무거운 감정과 가벼운 애정을 기꺼이 나눠 주었을까?

착각하지 마
우린 이미 끝난 관계고
난 온점만 찍었을 뿐이야

결론

그래
그래
가해자가 어디 있겠어
상처 입은 피해자만 남았지

주식

예감이 좋아서 시작하면
처음엔 찔끔찔끔 오르거든
한 발짝씩 위를 보며 걸으면
끝없는 끝에 닿을 수 있을 것도 같거든

그러다가
어느 순간
훅

그렇게
갑자기
훅

심장은 이제 다른 의미로 뛰기 시작해
언제 끝내야 할지를 고민하면서

정답

정답으로 가득했던 연애에
실수가 한둘씩 생긴다
어설프게 동그라미로 만들려는 아이의 호선처럼
덮을 수 있으리라, 들키지 않으리라 믿었던 오답은
결국 다음 시험에서 똑같은 유형으로 들통난다

우리는 아이가 아니라서 누구도 꾸짖지 않지만
몸은 쪼그라들고 마음은 한숨을 내쉰다
등급이 추락 중이다.

말

인간이 생겨 먹은 구조는
머릿속을 빙빙 도는 말을 굳이 입으로 한 번 더 내야 해서
숨을들이마시고내쉬는사이에혀를움직이고
입술을붙였다떼며이따금침도튀기고
억양까지붙여전달해야해서
그래서 우리는 헤어지지 않은 거야

너를 만나러 가는 길에 몇 번이고 떠올렸던 말들이
너를 만나는 순간
다음에
다음에 하자
라는 구차한 변명으로 다시 녹아서 기도를 타고 내려가거든

폐포를 한 번씩 터트릴 듯 찌르고 나면
그 말들은 조용히
그렇게 조용히
잠들어버려

혈관 속에
뇌수 속에
세포 속에

다시는 나오지 않을 것처럼.

빨대

식어가는 아메리카노
싱거워지는 바닐라 라떼
누군가는 뜨거운 걸 시키고 외투를 벗으며 후회하는데
누군가는 차가운 걸 시키고 단추를 잠그며 빨대를 깨문다
이빨 자국이 남은 플라스틱이 눈의 이물감을 유발한다

너 빨대 씹는 버릇 좀 고치면 안돼?
이게 뭐. 남한테 피해주는 것도 아니고.

내 생각의 한 점만 깔끔하게 도려다가 네 입에 넣어 주어도
너는 뱉어내며 화를 낼 것만 같아서 입을 다문다

볼 것도 없는 액정을 네 손보다 자주 쓰다듬은 것 같아
근데, 진짜, 정말로, 습관 하나만 고치면
너를 다시 사랑할 수 있을 것 같은데.

노력

애쓰지 않아도 생겼던 감정이라서
애쓰지 않으면 사라지는 감정인가

서로를 더 아껴보자고
닳아 없어지는 마음을 무시해보자고
부탁하듯, 혹은 협박하듯 말하던
네 눈에는 담은 것이 없었다.

차라리 분노하기를
차라리 미워하기를
차라리 책망하기를

그러면 나도 애쓸 마음이 생겼을까

네 부탁, 혹은 협박에
나는 대답할 수 없었다

지구와 달

점점 멀어지는 지구와 달
중력조차 영원하지 않은 탓이다

쪼그라드는 마음을 견딜 수 없어
한순간 빛을 내고 사라져버리는
별의 심장이라 생각했으나

하루에 한 걸음씩 떨어지면서 걷는 탓에
이제는 손조차도 선뜻 잡지 않는
행성과 위성 같은 사이였으니

뜸

뜸이다
멀어진다
그조차도 사랑스럽던 정적은
어느샌가 어색이 되어버렸고
얘기도
거리도
접촉도
마음도
뜸이다
뜸해진다

대여

네게 준다고 생각했던 것들이
사실은 빌려주는 것이었어
유효기간이 있었어

빌린 지우개를 필통에 넣어놓고 잊어버린 학창시절처럼
대충 읽어보고 넘기는 계약서의 동의 약관처럼
모래만한 것도
태산만한 것도
전부 망각하는 것처럼

기간마저 잃어버렸어

대가

네가 없다면 어떨까
네가 사라진다면 어떨까

물론 아프겠지
물론 힘들겠지

죽을 만큼?
가슴이 조이고 숨쉬기 힘들 만큼?
한순간도 보지 않으면 안될 만큼?

아닐 것 같아
며칠 울다가 끝일 것 같아
나는 다시 웃으면서 하루를 살 것 같아

사랑의 객체

나는 너를 사랑하는걸까
너를 사랑하는 나를 사랑하는걸까

사회의 일원으로써 마땅히 해야 하는 거라서
연애 좀 하라는 주변의 잔소리조차 피하고 싶어서
너를 사랑한다고 합리화하고 있는 건가

나는 너를 사랑하는걸까
방해받지 않는 안온한 일상을 사랑하는걸까

빨래

말라간다
빳빳해지는 빨래
빳빳해지는 감정

다음 주엔 세탁기를 돌릴 수 있을지
무거워진 짐 덩어리를 끙끙거리며 옮기고
물을 꾸욱꾸욱 짜내서
다시 널 수 있을지

자신이 없다

연애

파도

난
너를
볼 때면
늘 그랬다
파도 같다고 생각했다
하얗게 스러지는 포말 말고
잠시 짙었다가 본연의 색을 찾는 모래 말고
퇴근, 공휴일도 휴가도 없이 모습만 바꿔 야근하는
언제나 푸르고 언제나 시원하고 언제나 나를 적셔주는
내가 과분하게도 이런 다정함을 받고 있구나 싶어지는
세상엔 이 정도의 감정도 있구나 싶어서 가끔 서늘해지는
물 닿지 않는 깊은 공간의 찰나를 영원히 유지할 것만 같은

파도

사계

손길 닿은 곳에 붉은 꽃 사르르 피어나던 봄
흥건한 땀이 풀이라도 된 것처럼 서로를 안아주던 여름
시련마저 함께 견디려고 세상을 물들이는 가을
머리에 소복이 하얀 눈 쌓일 겨울까지
함께였으면 좋겠다고

애정과 분노

많은 일이 있었다.
인간사가 으레 그러하듯 만남이란 건 다양한 감정을 불러일으켰다.
즐거움, 기쁨, 안정감은 물론이요,
분노, 슬픔, 시기도 느끼며 너를 만났다.

그러나 어느 순간,
그 감정들은 결국
너를 사랑하기에 일어나는 것이라는 생각이 들었다.
네게 화를 내면서도 너를 좋아하고 있는 것이다.
너를 좋아하기에 네게 화를 내는 것이다.
모순적이었다.

그러나 어떡하겠는가.
그게 사랑이었음을.

네가 좋은 이유

내 표정을 살피고,
나를 생각하고,
나를 배려하고,
나를 들어주고,
나를 보고,
나를 좋아하는 네가
나도 좋다.

어느 날의 편지

고맙고 고마운 나의 연인에게.
당신의 연인으로부터.

탐구

바다의 끝은 무엇일까
우주의 끝은 무엇일까
세상의 끝은 무엇일까
우리의 끝은 무엇일까

그걸 찾는 게 의미가 있긴 할까
그런 거 알아서 뭐 하겠나
내 눈앞의 네가 이렇게 아름다운데

속담

Q. 가랑비에 옷 젖는 줄 모른다.
A. 우리에게 몰아친 건 폭풍이었다.
옷이 젖는 거야 당연히 알고 있었지만, 별 수 있던가.

톱니

너와의 만남은
이빨이 두 개쯤 빠진 톱니
맞물리다 덜컥거리지만
다음 단어가 설레서
무시하게 되는 징조들

새

아무 얘기 없어도
뭐가 그리 좋은지
큭큭대는 소리가
조용한 카페 안에 울려 퍼진다

남들의 시선을 신경 쓰던 내가
네 시선만 바라보고 있자니

새
자유
그래
자유롭다
네 웃음은 철창이 아니라 하늘이다

메모

평생을 갖고 살았던 내 이름을
몇 번 더 되뇌어 본다

입천장에 눌어붙는 이름은 카라멜 맛
달콤하게 찌인득거린다

목소리를 잊지 않으려고
포스트잇을 하나 떼어
적어 놓는다

낮게 내리는 이름의 끝
아직 어색하다는 듯
올라가는 한쪽 입꼬리
망각하기 싫은
어느 날의 추억

너는 웃었다.
내 이름을 부르면서.

안다

어느 날은 멀어지려는 너를 잡고만 있었다

고요히 내쉬는 숨소리
어깨를 톡톡 치는 심장 소리
쥐는 손가락에 걸리는 옷 소리

어떤 말도 오가지 않았으나
마음은 격렬하게 오갔다

점차 같아지는 생각의 리듬
하나가 된 것처럼 한참을 껴안고 있었다

동의어

너
반짝
예쁘다
찬란하다
사랑스럽다
안아 주고 싶다
쓰다듬고 싶을 때
그럴 수 있다는 사실
그게 어찌나 기쁘던지!

네게 딱 한 마디만 건넬 수 있다면

사랑해.

약점

기댈 곳이 생겼다는 것은
약점을 마음껏 보일 수 있다는 뜻이고
몰랐던 약점 역시 알 수 있다는 뜻이야

나는 너를 만나 약한 곳을 알아서
처음으로 쓰다듬을 수 있었어

까끌해서 꺼렸던 과거의 기억
이제는 마주할 수 있어

혼자가 아니라서
우울해도 괜찮다고 믿어

네가 있어서

연

'연'이라는 말이 좋다
인연
연애
연인
이어져 있다는 뜻이 좋다

연

입 안에서 굴려 본다
동글동글 구르다가 입천장에 앉는 말
못내 아쉬워 입꼬리를 길게 늘여본다
연인

만
남

고백

어라?
정말?
네가?
나를?
너도?
나를?
그럼?
우린?

그래.
그러자.
잘 부탁해.

관찰

인간이란 아름다운 거구나.
싱글싱글 올릴 수 있는 입꼬리도
함께 향을 향유할 수 있는 코도
심심할 때마다 네가 자주 만지작거리는 귓불도
씹을 때면 살짝씩 튀어나왔다 들어가는 관자놀이 근처의 근육도
정갈하게 깎아 흰 부분이 약간 남은 손톱도
새하얀 카페의 조명 아래 이따금 비치는 손등의 핏줄도

차마 눈은 마주 볼 수 없어 돌린 고개
전부 아름다운 것들만 비친다

인간이란 아름다운 거구나.

타자

줄지어 서 있던 의미들을
맥없이 지워가는 선 하나
두두두 울리는 진동은 총성이다

시한폭탄의 암호를 풀지 않으면
우리 관계가 터질 것 같아서
바쁘게 놀리는 손가락

응
너는 오늘 어땠어?

열기구

하늘을
우아하게 부유하는
구멍 뚫린 공이 있다
정지한 듯 느리게, 무한하게
이 세상을 떠돌 것 같지만 말이지
장작이 없으면 금방 쪼그라들어
바스러질 플라스틱 조각
다 타버리기 전에
활활
활활
빛을 내는 불꽃에
홀려버리기 전에

다시는 경험하지 못할 기억의 저편 너머로 날려버리기 전에
잃어버린 숨, 식어버린 밤을 탓하며 내일을 기다리기 전에

말해야 한다, 함께 타자고.

글자

내가 써야 하는 것은
어려운 글자들이 활개치며 내 이름을 부르는 논문도
한 단어 안에 감정을 실어야 하는 폭탄같은 시도
읽는 모든 이의 심금을 울리는 베스트 셀러도
사람들의 얼굴로 변환돼야 하는 시나리오도
아닌데

그냥
그냥 네 마음에
조금 닿아서
문을 두드릴 법한

나는
그러니까
자세히는
요컨대
부끄럽지만
말하기 어렵지만
적기는 더 어렵지만
이런 식으로
너를 좋아하고 있다고
그렇게 전해줄 법한

편지 하나인데
왜 손이 움직이질 않는 건지

별

별은 오랫동안 빛을 내다가
끊임없이 팽창하다가
커지는 마음을 견디지 못해

-펑-

터져버린대
나는 죽더라도 좋으니
세상 모든 것을 빨아들여도 여전히 공허한 칠흑이 될테니
네가 보고서 한 번이라도 웃을 수 있는
별이 되고 싶어

심장

혈액이 혈관을 뚫고 튀어나올 것처럼
시뻘겋게 물드는 온몸
얼룩덜룩한 피부 가운데 가장 뜨거운 건
심장과 제법 먼 귓바퀴

이타적

사람을 지탱하는 건 사랑
사라지지 않고 살아남게 한다

이토록 이타적이었던가
나는 살면서 이토록 이타적이었던 적이 있었나

산

살결은 마치 태산
때가 되면
햇살 닿은 곳이 울긋불긋 타오른다

머리카락을 떼어 주겠다며 닿은 손길
먼지를 불어주던 입김
어색한 미소 뒤에 숨긴
살결은 마치 태산

상상

머릿속에 몽글하게 솟아오르는 과분한 상상
손끝이 괜스레 간지럽다
귓불은 왜 이렇게 만지고 싶은지

닿을 듯 말 듯한 손 끝
3센티미터의 간격이
차근차근
2
1
꼭.

그런 상상

파랑

바다의 스파크
햇빛을 부싯돌 삼아
서로 부딪혀대는 물결

시퍼렇게 번쩍이지만
서늘하지 않고 시원하게 아름다운
너는 파도의 번개

숨 쉴 틈 없이 밀려와서
섬찟하게 나를 덮칠 걸 알면서도
기꺼이 삼켜도 된다는 허락

방어기제

바닥이 뭉싯뭉싯 솟아올랐다

너를 보고 싶은데
보고 싶지 않다
너와 말하고 싶은데
말하고 싶지 않다

해본 적 없던 사랑에 대한 방어기제
뭉싯뭉싯 솟아오른다

너와 가까워지고 싶은데
가까워지고 싶지 않다

인정

인정은 빨랐다.
빠를 수밖에 없었다.
심장이 터질 듯이 뛰는 것.
머릿속을 네가 꽉 채우는 것.
작은 행동 하나하나에 의미를 부여하게 되는 것.
그걸 사람들은 사랑이라고 정의했으니까.

공전

도무지 너를 밀어낼 수가 없었다.
달과 지구가 서로를 끌어당기는 것이
그 둘의 의사와는 하등 상관이 없듯이,

안녕

안녕.

에필로그

그녀의 첫인상

그녀는 로맨스와 거리를 두고 살아온 자신의 삶을 후회했다.
그녀는 문학과 거리를 두고 살아온 자신의 일상을 후회했다.
근사하게 꾸며진 표현들을 진작 머릿속에 새겨 뒀더라면
그의 첫인상을 멋들어지게 떠올릴 수 있었을 텐데.

그러나 그녀는

다가가고 싶은 사람이라고.
어디든 꼬집어 내 만들어낸 구실을 이유로
한 마디라도 더 건네 보고 싶은 사람이라고.

그렇게 생각할 수 밖에 없었다.

그의 첫인상

그는 더 멋진 옷을 입지 않은 것을 후회했다.
애초에 멋진 옷이란 무엇인지에 대한 통찰은 뒤로 하고서라도
분명 이것보단 괜찮은 옷이 있었던 것 같은데
그 대신 어정쩡한 후드티를 선택한 자신이 원망스러웠다.

도토리를 닮은 홍채의 색깔
웃음을 머금고 살아온 듯 올라간 입꼬리
화색이 도는 붉은 뺨

자신을 부끄럽게 만들 정도로 화사한 사람

다가가고 싶은 사람이라고.
그 방법을 가르쳐 준 적 없는 세상이 미울 정도로
예쁜 말을 건네고, 보고 싶다고.
건네 보고 싶다고.

그렇게 생각할 수 밖에 없었다.

작가의 말

 중학교 때는 나를 성장시키기 위해 청소년 판타지 성장 소설을 썼고, 고등학교 때는 반복되는 보도블럭 속에서 피어나는 민들레 같은 생각들을 에세이로 썼습니다. 그리고 대학생이 된 지금, 제 삶에서 연애가 차지하는 비중이 제법 늘어나며 이를 주제로 한 시집을 출판하게 되었습니다. 서로 다른 세 가지 장르를 시도하게 되었지만, 한 인간으로서의 제가 성장하고 있음을 느낄 수 있어 뿌듯한 마음입니다.

 제 첫 시집 '안녕.'은 제목부터 구성, 각각의 시까지 상징으로 가득 채우고 싶었습니다. 모든 페이지를 해설할 수 있지만, 독자에게 해석과 상상의 여지를 남겨 드리는 것이 작가의 예의라고 생각하기에 이 시집을 생각한 계기, 고르고 고른 말들만 조심스레 건네보고자 해요.

 '안녕'이라는 말은 만날 때도, 헤어질 수 있는 흥미로운 단어입니다. 제 첫 시집은 이 단어에 대한 고찰에서 출발했습니다. 이중성을 살린 제목을 먼저 짓고, 이 제목에 어울릴 법한 시들을 써내려가면서 완성하게 되었습니다.

 '안녕.'은 서로에게 인사를 건네는 이별로 시작해서 인사를 건네는 첫 만남으로 끝납니다. 영화나 드라마에서 다루곤 하는 역재생 연출을 시집으로 표현해보고 싶었습니다. 서로에게 지쳐서 떨어져 나간 연인이 영원을 약속하며 사랑했던 처음까지, 시의 흐름에 따라 몰입하며 보시기를 바랍니다.

 이번 시집을 기획할 때는 힙합 앨범에 영향을 받았습니다. 저는 원래 힙합 앨범은 서로 다른 메시지를 담은 곡들을 모아놓은 개념이라고 생각했거든요. 그래서 명곡이라 불리는 곡들만 골라서 들었습니다. 그러다가 앨범 단위로 힙합을 접하게 되었어요. 그러자 각각의 곡도 메시지를 담으면서, 앨범의 전체적인 메시지도 전달하고 있다는 느낌을 받았습니다. 유기성을 경험하게 된 거죠. 이처럼 분리된 듯하면서도 하나의 메시지로 통합될 수 있는 작품을 만들고 싶었습니다. 그래서 연애라는 주제를 가지고 부드럽게 흘러가는 강 같은 시집을 준비해 보았어요.

소설, 에세이 같은 산문이 메시지를 총 쏘듯이 탕탕 보낸다면, 시는 폭탄처럼 한 번에 쿵하고 폭발시키는 장르라고 생각해요. 그런 관점에서 보면 늘어지고, 짧은 에세이 같아 보이기까지 하는 제 시는 메시지를 함축해 전달하는 역할을 덜 하게 되었네요.

대신 시적 허용에 주목하고 싶었습니다. 줄 바꿈이 자유롭고, 단어를 변형해서 쓸 수도 있는 시의 특징이 제게 매력적으로 다가왔기 때문입니다. 그래서 '열기구'나 '파도' 같은 시에서는 글자로 모양을 만들어내거나, '메모'에서처럼 기호를 사용해 메시지를 표현하기도 했습니다.

프롤로그와 에필로그를 포함해 69편의 시를 쓰는 기간은 한 달 정도 걸렸습니다. 여태껏 적은 글 중 가장 짧은 기간이었는데, 첫 소설인 '두 번째 나'의 작성 기간이 3년 정도 걸렸던 걸 생각하면 몹시 짧아졌네요. 물론 글의 종류가 다르고, 빠르게 쓴다고 좋은 것도 아니므로 비교의 의미는 없겠지만, 글에 몰입하는 능력이 점점 좋아지고 있다는 생각이 들었습니다.

처음으로 세상에 내놓는 책입니다. 어설프고 부족하더라도 사랑해주셨으면 좋겠습니다. 엔딩 크레딧까지 읽어주셔서 감사합니다. 끝으로, 내게 다양한 감정을 경험하게 해준 가족들, 친구들, 문학의 틀을 알게 해준 황민아 선생님, 그리고 나의 뮤즈가 되어준 재훈에게 감사 인사를 전합니다.

2024. 05. 07
김채영
안녕.